후한(後漢)의 세력 변화

고구려

양주凉州
마등·한수

유주 공손찬
幽州

기주冀州
병주 井州 원소

청주 淸州

조조 ·낙양
헌제
·허창 예주
豫州

·하비 여포
서주徐州

수춘
원술

장안·

한중
장로

·신야
·양양
장수
유표

손책

양주揚州

·성도

유장

형주荊州

미제압지역

익주益州

미제압지역

197년

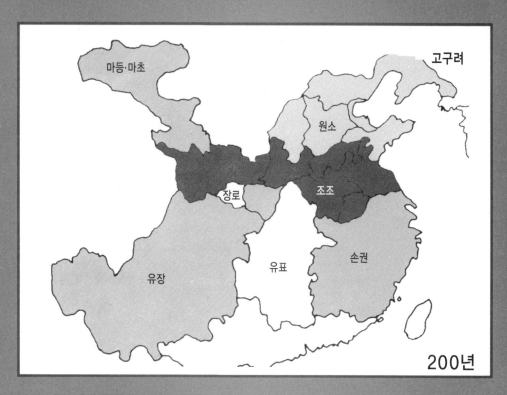

마등·마초
고구려
원소
장로
조조
유장
유표
손권
200년

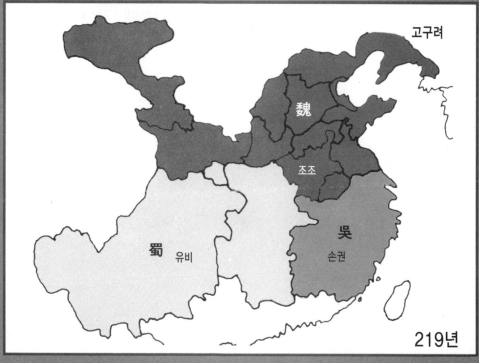

고구려
魏
조조
蜀 유비
吳
손권
219년

LEARNING ENGLISH THROUGH COMICS

만화를 보면서 배우는 영어

ROMANCE OF THE THREE KINGDOMS

三國志

8

LEARNING ENGLISH THROUGH COMICS

ROMANCE OF THE THREE KINGDOMS

BY Asiapac Books PTE LTD. and 21st C.E.T.A.

Copyright © 2000 by 21st C.E.T.A.
Translation copyright © 2000 by ez-book
Korean-English Version Rights arranged with Asiapac Books PTE LTD.
through 21st C.E.T.A.

초판 1쇄 발행일 · 2000년 11월 25일
초판 3쇄 발행일 · 2000년 12월 18일

아시아팩 · 21세기영어교육연구회 공저
펴낸이 · 김동영
펴낸곳 · 이지북

출판등록 2000년 11월 9일 제10-2068호
121-200 서울시 마포구 동교동 165-8 LG 팰리스 빌딩 1719호
Tel : (02)324-2347,9 Fax : (02)324-2348
e-mail : 나우누리, 천리안 · jamo7, 하이텔 · jamo

ISBN 89-89422-09-4 04740
ISBN 89-89422-01-9(Set)

값 6,000원

● 잘못된 책은 교환해 드립니다.
● 공저자와의 협의하에 인지는 붙이지 않습니다.

LEARNING ENGLISH THROUGH COMICS

만화를 보면서 배우는 영어

ROMANCE OF THE THREE KINGDOMS
三國志

8

이지북
ez-book

만화는 청소년들에게 즐거움을 주면서 교육을 시킬 수 있는 매우 훌륭한 매체이며, 대부분의 만화는 건전한 즐거움을 주고 있다. 그러나 최근에는 폭력적이고 선정적인 만화가 많아 감수성이 예민한 청소년들에게 큰 영향을 미치고 있다는 점에서 심각한 문제가 되고 있다. 국내에 들어온 일본 만화의 인기가 급증하면서 spill-over(국경 범람 현상)가 이미 심각한 지경에 와 있다. 이러한 일본 만화는 불필요하게 폭력적이고 선정적이어서 한국 사회에 부정적인 영향을 미치고 있다. 일본과의 역사적인 관계 때문에, 한국의 대다수 국민들은 무분별한 왜색 문화의 모방을 우려하고 있다. 일본 문화 자체에 관해서 아는 것이 나쁠 것은 없지만, 일본 만화의 한국 만화 시장의 잠식은 건전한 만화 시장의 불균형을 초래할 뿐만 아니라, 한국인의 정체성을 왜곡시킬 수도 있다. 청소년들이 일본 만화에 심취하는 데는 건전하고 재미있게 읽을 수 있는 한국 만화가 없다는 점에도 그 원인이 있다.

따라서 본 〈21세기영어교육연구회〉 소속 현직 고등학교 영어 교사들은 한국의 젊은이들에게 왜색 문화를 벗어나 건전한 욕구와 용기와 포부를 길러주고, 지혜와 사려를 깊게 하는 『만화를 보면서 배우는 영어 삼국지』를 Singapore의 ASIAPAC BOOKS 출판사와 정식으로 국제 계약을 맺어 총 20권으로 번역 출판하기로 결정했다.

『삼국지(三國志)』의 방대한 분량을 만화 20권으로는 내용 전달이 완벽하지는 못하겠지만, 독자들에게 지루함을 주지 않고 전체 맥락을 이해하는 데는 많은 도움이 되리라 생각한다. 또한 본 『만화를 보면서 배우는 영어 삼국지』 20권을 독파함으로써, 기본 필수 영어 회화에 관한 내용들도 다 소화할 수 있으리라 본다.

부언하면, 이 책이 젊은이들에게 항상 참다운 용기와 정의가 무엇인지를 일깨우고, 번쩍이는 지혜와 사고(思考)를 길러주는 생(生)의 길잡이가 될 것으로 믿어 의심치 않는다. 예컨대, 『삼국지』는 우리들에게 인간의 도리가 무엇이며 은혜를 어떻게 갚아야 되며, 정도(正道)를 가지 않고 권모술수(權謀術數)만 쓰는 사람의 말로가 어떤지를 가르쳐 준다. 이 각박한 세상에서 한국의 젊은이들이 본서를 통해 삶의 지혜를 얻는다면 더 이상 바랄 것이 없겠다.

『삼국지』는 그만큼 세월을 초월해서 영원히 새로운 책이라 할 수 있을 것이다. 다만 그 양과 내용이 너무 방대하여 청소년들이 쉽게 흥미를 느끼며 접하기가 어려운 것이 현실이다. 비록 우리 민족의 이야기는 아니지만, 1,800년 전의 중국 문화의 수준을 짐작케 하고 역사 공부에도 도움이 될 뿐만 아니라, 우리나라 학생들에도 그 인지도가 높은 만큼 충분히 이해하고 건전한 학습이 이루어진다면 보다 재미있고 유익한 책이 될 수 있을 것이다.

'젊어서는 『삼국지』를 읽고, 늙어서는 삼국지를 읽지 마라'는 말이나, '『삼국지』를 세 번 이상 읽지 않은 사람과는 더불어 세상을 논하지 말라'는 말은, 곧 『삼국지』라는 책을 통해서 무한한 삶의 지혜와 용기를 얻을 수 있다는 말일 것이다.

예컨대, 유비(劉備)가 제갈량이 비범(非凡)한 재능을 가진 인재(人才)라는 소식을 듣고, 친히 제갈량의 초가집을 세 번 찾아가, 은둔지에서 나와 국정운영을 도와달라고 청한 후 제갈량을 군사(軍師)로 삼게 된 일에서 생긴 '삼고초려(三顧草廬)', 먹자니 먹을 것이 별로 없고 버리자니 아까운 닭갈비라는 뜻의 '계륵(鷄肋)', 콩을 삶는데 콩깍지를 태운다는 뜻의 '자두연기(煮豆燃萁)'란 말은 다음과 같은 일화에서 유래되었다.

위(魏)나라 문제(文帝)이며, 조조(曹操)의 아들인 조비(曹丕)가 동생 조식(曹植)에게 앞으로 일곱 걸음[七步]을 걸어가라고 지시하고, 내 앞에서 일곱 걸음을 걷는 동안 시(詩) 한 수를 지으라고 명했다.

만약 시를 짓지 못한다면 중벌에 처하겠다고 했다. 조비는 앞으로 발걸음을 옮기면서, 골몰히 생각했다. 그리고 일곱 걸음만에 시를 지었다. 그 시는 다음과 같았다.

콩을 삶음에 콩깍지를 태우니,　(煮豆燃豆萁)
가마 속 콩이 뜨거워 우는구나.　(豆在釜中泣)
본시 같은 뿌리에서 나왔건만,　(本是同根生)
뜨겁게 삶음에 어찌 이리 급한고? (相煎何太急)

위문제(魏文帝)는 이 시(詩)의 참뜻을 이해하고, 몹시 부끄러워하며, 조비를 죽이려는 음모를 그만두었다.

매실(梅實)은 맛이 시기 때문에 그것을 보기만 해도 침이 돌아 해갈이 된다는 뜻의 '망매해갈(望梅解渴)'이란 말은 또한 다음과 같은 이야기에서 생긴 말이다. 위(魏)·촉(蜀)·오(吳)의 삼국 시대 때 한 번은 조조(曹操)가 전선(戰線)으로 가기 위해 대군(大軍)을 이끌고 먼 거리를 진군하게 되었다. 찌는 듯한 더위에 병사들은 목이 바짝 말라 타들어 갔다. 병사들은 물을 먹고 싶었으나 물 한 방울 찾을 수가 없었다. 조조는 문득 한 가지 꾀를 생각해냈다. 손가락으로 앞을 가리키면서 조조는 병사들에게 "저 앞에 매실이 가득한 매실 나무숲이 있다. 매실은 달콤새콤하므로 갈증을 풀 수 있을 것이다." 이 말을 들은 병사들은 무의식중에 매실의 신맛을 상기하게 되었고, 그로 인하여 병사들은 입 안에 침이 고여 갈증을 잊을 수 있었다.

눈을 비비고 상대방을 본다는 뜻으로, 남의 학식이나 재주가 놀랄 만큼 갑자기 발전하는 것을 일컫는 '괄목상대(刮目相對)'라는 말도 있다. 위(魏)·촉(蜀)·오(吳)의 삼국 시대(三國 時代)때 오(吳)나라의 명장(名將) 여몽(呂蒙)은 빈민가에서 태어나 어려서 학교에 다닐 기회가 없었다. 오(吳)나라 군주 손권(孫權)이 무식한 여몽에게 최선을 다하여 가능한 한 많은 책을 읽을 것을 권유하였다. 하지만 여몽은 "군무(軍務)에 너무 바빠 책을 읽을 겨를이 없사옵니다"라고 말하였다. 손권(孫權)이 대답하여 가로되, "지난날의 무수히 많았던 유명 군사 전략가들도 똑같이 바빴으며, 불안정한 생활을 했소. 하지만 그들은 자신의 주어진 시간들을 잘 활용하여 스스로 열심히 책을 읽었소. 왜 그대라고 그러하지 못하겠는가?" 상전의 권유를 받아들인 여몽은 그때부터 열심히 글 공부를 시작하였으며, 그 결과 놀라운 진보를 보였다.

우리나라 사람이라면 이러한 고사성어들은 귀동냥이라도 해보았음직한 말들이다. 그만큼 『삼국지』는 한국과 중국, 일본 세 나라 사람들이 애독할 뿐 아니라 우리 문화의 일부가 되어 있는 것이다.

아무쪼록, 역자의 마음은 본서가 『삼국지』를 보다 깊이 그리고 체계적으로 이해하는 데 기초가 될 뿐만 아니라 이 책을 통해 삶의 지혜를 얻었으면 한다. 그리고 영어의 분위기를 느끼고, English Mind(英語的 思考)의 형성에 다소라도 기여가 된다면 그 이상 바랄 것은 없겠다.

끝으로, 본 시리즈에 대한 구상(構想)을 들으시고 출판할 수 있도록 격려와 지원을 아끼지 않으신 강병철 사장님, 김유수 편집부장님께 깊은 감사를 드리며, 책이 나오기까지 직접 실무를 맡아주신 편집부 직원들께도 사의(謝意)를 표하는 바다. 또한 독자들의 많은 지도편달을 바라는 바이다.

21세기영어교육연구회

The 'comic book' is an excellent media to entertain and educate young minds, and for the most part they are harmless fun. However, recently a serious issue has arisen about the content of comics and how they affect the impressionable segment of the population - the young. Most noticeable these days is the phenomenon of cultural spill-over stemming from the rise in the popularity of imported Japanese comic books. Some of these Japanese comic books are needlessly violent and somewhat sexually explicit, and have a negative impact on preserving Korean society. Due to Korea's historic relationship with Japan, many people are not comfortable with the trend of imitating Japanese culture. Knowledge about Japanese culture in itself is not bad but we think the saturation of Korean comic book market with Japanese comics is not balanced and will result in a distortion of the Korean identity. Youngsters are turning to Japanese comics due to the lack of stimulating and entertaining Korean comics.

Therefore in view of the need to provide comic books that will entertain while instilling positive concepts such as courage, intellectual curiosity, and ambition, we the 〈21st Century English Teachers' Association〉 have made a formal contract with Asiapac Publication in Singapore, to publish twenty volumes of 「Learning English Through Romance of the Three Kingdoms」 in a Korean-English format.

Though it is difficult for us to put all of the contents of the original 「Romance of Three Kingdoms」 into a 20-volume Korean-English version comic series, we think that these comics will be helpful for students to comprehend a whole thread of connection without getting bored with tedious stories. Additionally, if readers fully read through these comics, they can pick up some basic English vocabulary, grammar, and conversation expressions. We believe that these books will be of service to students in realizing what true courage and justice offer insights on life wisely. For example, 「Romance of the Three Kingdoms」 will give readers a lesson on how to lead a worthy life, how to repay others' kindness, and how miserable the last days are for one who has strayed from the right path and has deceived others. We hope that readers will be able to see the wisdom of life in this tough world through these books. We can say that 「Romance of the Three Kingdoms」 is permanently a new book standing apart from the ages. The story of 「Romance of the Three Kingdoms」 has nothing to do with our nation, and will not only help our students understand the Chinese culture of 1,800 years ago, but will also be instructive for those young people who intend to completely study the full version of the 「Romance of the Three Kingdoms」 at a later time. The sayings "Read 「Romance of the Three Kingdoms」 in youth, but do not read 「Romance of the Three Kingdoms」 in old age." and that "do not argue about the world with people who have never read 「Romance of the Three Kingdoms」 three times." mean that readers can get unlimited wisdom about life and obtain true courage through reading 「Romance of the Three Kingdoms」.

For instance, the expression 'Calling Thrice at the Thatched Cottage' comes from the anecdote where YuBi after hearing that JeGalRyang is a man of extraordinary talent, he drops by three times at Yungjung's thatched cottage each time asking him to come out from his seclusion and assist him in running the government. Later YuBi appoints him his chief counsellor. 'Chicken Ribs' which mean something that one hesitates to give up even though it is of little interest. The expression 'Burning Peastalks to Cook Peas' comes from the following anecdote.

JoBi, Emperor MunJe of Wi, ordered JoShik to take seven steps forward and compose a poem within the time he takes these seven steps. If he is unable to accomplish this request, he would be severely punished. As JoShik began to step forward, his mind worked busily, and he completed the poem on his seventh step. It read:

Peastalks are burned to cook peas.
The peas in the cauldron cry:
We both came from the same root.
Why must one be so cruel to the other?

When Emperor MunJe heard the poem, he felt ashamed of himself and had to drop his scheme.

In addition, the expression 'Quenching the Thirst by Looking at Plums' is said to be derived from the following story. Once during the time of the Three Kingdoms, JoJo was leading his army on a long-distance march to the battlefront. The weather was scorching hot, and the soldiers were parched with a burning thirst. They wanted water but could not find any. JoJo struck upon a clever idea. Pointing his finger forward, he said to the soldiers, "There's a large grove of plum trees ahead, fully laden with plums. They are sweet and sour and may quench your thirst." His words reminded the soldiers of the sour taste of the plums, and their mouths began to water, which made them feel less thirsty.

'Rubbing One's Eyes Before Looking at Somebody' which means to look at each other with astonishment at the progress each has made during their separation. YeoMong, a famous general of Oh during the Three Kingdoms Period, came from a poor family and during his childhood had no chance to go to school. SonGwon, the Oh ruler, told him to do his best and read as many books as possible. But YeoMong said, "As a commander, I'm too busy to learn." SonGwon rejoined, "Many famed strategists of the past led an equally busy and unsettled life. But they made the best use of their time and studied diligently on their own. Why can't you do the same?" Convinced, YeoMong began to study hard, and he made quick progress.

Most people in Korea may have come across the above Chinese idioms through everyday conversation. The story 「Romance of the Three Kingdoms」 is becoming habitual part of our culture and is popular amongst young people in Korea, China and Japan.

In any rate, we who are translators hope that our readers will be able to comprehend the comic book version of 「Romance of the Three Kingdoms」 at a deep level and gain wisdom to lead a wise life.

Besides, we hope that these comics can contribute to help readers feel English atmosphere and foster English mind.

Finally, we're much obliged to President Kang, Byung-Cheol, Editor -in-chief Kim, Yu-Su and all the staff at the publishing ccompany. It goes without saying that we welcome any comments and feedback on this edition. We all have much to learn from each other.

21st Century English Teachers' Association

JangGan (JaIk)

장간 蔣幹
[자익(子翼)]

JoJo

조조 曹操

BangTong
(Master Young Phoenix)

방통 龐統
[봉추(鳳雛)]

HwangGae

황개 黃蓋

JuYu
(GongKeun)

주유 周瑜
[공근(公瑾)]

JeGalRyang
(GongMyeong)

제갈량 諸葛亮
[제갈공명(諸葛孔明)]

■ strategy 전략, 책략, 계략(計略). ■ borrow 빌리다, 차용하다. ■ arrow 화살.

JeGalRyang's Strategy
of Borrowing JoJo's Arrows

조조의 화살을 빼앗은
제갈량의 계략(計略)

With your clever strategy, JoJo will be defeated.

JuYu was delighted his trick had worked.

JoJo may have been fooled but not JeGalRyang. Go and sound him out.

Congratulations.

For what?

JuYu asked you to find out if I know about his trick.

How did you know?

It could only fool JangGan. JoJo might have been fooled but he would have realized it later.

NoSuk came to see JeGalRyang.

■ clever 교묘한, 재치있는. ■ strategy 전략, 책략, 계략.
■ be defeated 패하다. ■ be delighted 기뻐하다.
■ trick 속임수. ■ work 효과가 있다, 잘 되어 가다.
■ be fooled 속다. ■ sound ~ out ~의 생각을 알아내다.
■ congratulations 축하합니다. ■ for what? 왜지요?(= What do you congratulate me for?)
■ realize 깨닫다.

Don't tell him I know about it. Otherwise, he'll findsome way to kill me.

Very well.

NoSuk left.

He's a threat to East Oh. I must get rid of him.

NoSuk told JuYu what JeGalRyang said.

JoJo will sneer at you if you kill JeGalRyang. Besides…

I'll find a way so that he'll die with no complaint of injustice.

What will you do?

Just wait and see.

■ otherwise 만약 말을 한다면(= if you tell him). ■ take leave 허락을 구하다.
■ threat 위험(하는 사람). ■ East Oh 동오(東吳).
■ get rid of ~을 제거하다(= remove). ■ sneer at ~을 비웃다.
■ besides 게다가. ■ complaint 불평, 불만.
■ injustice 부당, 불의, 부정.

Bows and arrows.

What weapons are most important in naval warfare?

The next day, JuYu had a discussion with his officials and JeGalRyang.

We are short of arrows. Can you supervise the production of 100,000 arrows for us?

Yes. When do you want them?

Can you have them ready in ten days?

JoJo's army may advance soon. It'll be too late.

수전에서는 어떤 무기가 가장 중요합니까?

활과 화살 이지요.

이튿날, 주유는 그의 참모들과 제갈량을 불러 함께 토의했다.

우린 화살이 부족합니다. 선생께서 관장하셔서 화살 10만 개를 우릴 위해 만들어 주실 수 있겠습니까?

그러지요. 언제면 되겠습니까?

열흘 안에 준비하실 수 있겠습니까?

조조군이 곧 쳐들어 올지 모릅니다. 너무 늦을 것 같습니다.

■ official 장교, 관리.　■ weapon 무기.
■ naval warfare 수전(水戰), 해전(海戰).　■ bow 활.
■ arrow 화살.　■ be short of ～이 부족하다, 떨어지다.
■ supervise 감독하다, 지시하다.　■ production 제작, 생산.
■ army 군대.　■ advance 진격(전진)하다.

■ joke 농담.　■ permit 허락하다.
■ written statement 공식 문서, 군령장(軍令狀).　■ severely 엄하게, 엄히.
■ be punished 처벌받다.　■ secretly 남몰래, 비밀리에.
■ be elated 우쭐해지다, 의기양양하게 되다.　■ collect 모으다.

■ fool 속이다.　■ sign 서명하다.　■ death warrant 사망 증서.
■ sign his own death warrant 자기 무덤을 파다, 자신의 사망 증서에 서명하다.
■ report 보고하다.　■ get one into a fix ~를 곤경에 빠뜨리다.
■ You brought this on yourself 자승자박(自繩自縛)입니다.　■ lend ~에게 빌려주다.
■ 20 boats with straw lined on both sides 양편에 짚단을 줄지어 세운 20척의 배.

NoSuk went back to see JuYu.

NoSuk kept his promise and did not mention the boats.

■ What's he up to? 그가 무슨 일을 하고 있소? ■ be up to ~을 꾀하다, ~에 종사하다.
■ keep one's promise 약속을 지키다. ■ mention 언급하다, 말하다.

NoSuk got ready the boats and soldiers for JeGalRyang.

Two days passed but JeGalRyang didn't make any move. The boats laden with straw floated quietly on the river.

Why did you call me here?

On the third day at the fourth watch JeGalRyang secretly sent for NoSuk.

Don't ask. You'll soon know.

Where?

Go with me to get the arrows.

노숙은 배와 군사를 제갈량을 위해 준비했다.

이틀이 지났지만 제갈량은 미동도 하지 않았다. 짚을 실은 배들만이 강 위에 조용히 떠 있었다.

왜 저를 이리로 부르셨습니까?

삼일 째 되는 날 사경 무렵 제갈량은 노숙을 몰래 불러왔다.

묻지 마십시오. 곧 아시게 될 것입니다.

저와 함께 화살을 가지러 가시지요.

어디로요?

■ get ready 준비하다.   ■ soldier 병사, 군인.
■ not make any move 어떤 행동도 하지 않다.   ■ the boat laden with straw 짚단을 실은 배.
■ float 뜨다.   ■ straw 짚단.
■ secretly 남몰래, 은밀히.   ■ send for ～를 부르러 사람을 보내다.

■ have the boats (which are) linked with a long rope 긴 밧줄로 배들은 연결되게 하다.
■ proceed toward ~를 향해 가다.　■ north bank 북쪽 강언덕.
■ fog 안개.　■ near 다가가다, 접근하다.
■ bow 뱃머리, 이물, 선수(船首)(= prow).　■ arrange 정열하다.
■ face West 서쪽으로 향하다.　■ stern 선미(船尾), 고물.
■ charge ⓝ공격. ⓥ공격하다.　■ be attacked 공격 당하다.

■ attack 공격하다. ■ thick fog 짙은 안개.
■ Oh 오(吳)나라. ■ fleet 함대, 선단.
■ get + 목적어(A) + to부정사(B) A에게 B를 시키다. ■ archer 궁수, 사수.
■ fire 쏘다. ■ arrow 화살.
■ deploy 배치하다.

Twang! Twang!

Go nearer to the camp to get more arrows!

Now turn the boats around.

The arrows fell like rain on the straw.

Soon, the bundles of straw were covered with arrows.

쨍! 쨍!

적진으로
더 가까이 가
더 많은 화살을
쏘게 하라!

이제 뱃머리를
돌려라.

화살이 짚단 위로 빗발치듯 쏟아졌다.

곧, 짚더미들이 화살로 뒤덮였다.

■ Twang 팅(활 쏘는 소리). ■ turn ~ around ~을 회전시키다, 기수를 돌리다.
■ bundles of straw 짚단. ■ be covered with ~로 뒤덮이다.
■ like ~처럼.

■ Prmie Minister 승상.　■ arrow 화살.　■ fog 안개.
■ lift (안개·구름 등이) 걷히다.　■ soldier 병사, 군인.
■ be fooled 속다.　■ look in the distance 멀리(먼곳을) 살펴보다.
■ add up to ~합계가 ~이 되다.　■ military man 군인, 무장(武將).　■ law 법칙, 이치.
■ heaven 하늘.　■ earth 땅.　■ thick fog 짙은 안개.
■ deadline 최종 기한, 마감 시간.　■ actually = in fact.

■ the straw bundles 짚더미.
■ Chief Commander 대도독(大都督) − 전시(戰時)의 총사령관.
■ collect 모으다. ■ obtain 얻다, 획득하다.
■ amazing 놀라운. ■ foresight 선견지명, 통찰력.
■ superhuman 초인적인. ■ his equal 그의 상대(적수).

■ resourcefulness 풍부한 지략, 기지.　■ admirable 감탄을 자아내는.
■ trick 속임수, 계략, 계책.　■ remarkable 놀랄 만한, 현저한.
■ naval camp 수군(水軍) 진영.　■ guard 지키다.
■ host a banquet 주연을 베풀다.　■ palm 손바닥.

■ HwangGae 황개(黃蓋)-손견의 부장으로 공을 많이 세웠으며, 적벽대전에서 고육지책(苦肉之策)을 사용하여 승리하게 함. ■ propose 제안하다. ■ false 거짓의. ■ surrender 항복, 투항.
■ 고육지책(苦肉之策)-제 몸을 괴롭히면서 적(敵)을 속이기 위하여 꾸미는 계략.

HwangGae Proposes a False Surrender

황개(黃蓋)의 고육지책(苦肉之策)

JoJo was bent on revenge, so he ordered ChaeHwa and ChaeJung to pretend to surrender to East Oh and act as spies.

JuYu gave them handsome gifts and asked them to serve under GamNyeong.

They're here under false pretenses.

They came to avenge the death of ChaeMo, their cousin.

ChaeHwa and ChaeJung didn't really surrender. I'll turn the tables on them. Be on your guard.

JuYu is using their own trick against them…

NoSuk told JeGalRyang what had happened.

Oh, I see.

Meanwhile, JuYu secretly summoned GamNyeong.

조조는 복수에 몰두한 나머지, 채화(蔡和)와
채중(蔡中)에게 명령하여 동오에 거짓 항복하게
한 후 밀정 노릇을 하게 했다.

주유는 그들에게 후히 포상을 하고 감녕
휘하에서 일하게 했다.

그들은
거짓 항복으로
여기에 와 있는
것입니다.

그들은
사촌인 채모의
죽음을 복수하러 온
것입니다.

채화와 채중은
정말로 항복한 것이
아니오. 내가 그들을
역이용할까 하오.
잘 감시하시오.

주유가 놈들을
역이용하고 있는
것이지요…

노숙은 제갈량에게
자초지종을 얘기했다.

아, 그렇군요.

한편, 주유는 은밀히
감녕을 불러들였다.

■ be bent on ～에 열중하다.　■ order 명령(지시)하다.　■ ChaeHwa 채화(蔡和)－조조의 부장였던 채모의 아우임.
■ ChaeJung 채중(蔡中)－조조의 부장이었던 채모의 아우임.　■ pretend ～인 척하다.
■ surrender 항복(투항)하다.　■ East Oh 동오(東吳).　■ actually = in fact.　■ handsome 상당한.
■ serve 근무하다.　■ false pretenses 거짓 항복.　■ avenge 복수하다, 원수를 갚다.　■ cousin 사촌.
■ turn the table on 형세를 역전시키다.　■ be on one's guard ～에 대해 경계(조심)하다.
■ secretly 은밀히, 몰래.　■ summon 소환하다.　■ GamNyeong 감녕(甘寧)－손권의 부장임.
■ use one's trick against one 상대의 속임수를 역이용하다.

That night, HwangGae came to see JuYu, and they agreed on a stratagem.

JoJo has a large force. Prepare 3 months' supply for our defence.

The next day, JuYu summoned his officers. JeGalRyang was also present.

His troops are at our border. We might as well surrender!

Our Lord has said that whoever speaks of surrendering should be killed. Execute him!

조조군은 대군이오. 수비에 필요한 3개월 분의 군량을 준비하시오.

그날 밤, 황개가 주유를 만나러 왔고, 둘은 한 가지 계략을 쓰기로 동의했다.

다음날, 주유는 참모들을 소집했다. 제갈량도 참석했다.

조조군은 국경에 와 있습니다. 항복하는 것이 낫습니다!

주공께서 항복을 거론하는 자는 누구든 참하라 하지 않으셨느냐. 저놈을 처형하라!

GamNyeong asked for pity.

He is a senior officer. Please pardon him.

How dare you, too! Beat HwangGae!

I'll spare him but give him 100 strokes.

All the officials knelt to beg for leniency.

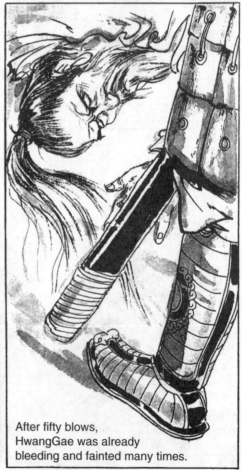

After fifty blows, HwangGae was already bleeding and fainted many times.

감녕이 자비를 간청했다.

그는 중신(重臣)이옵니다. 부디 그를 용서하소서.

감히 네놈까지! 황개를 매우 쳐라!

놈의 목숨을 살려주되 곤장 100대를 쳐라.

모든 참모들이 무릎을 꿇고 선처를 빌었다.

50대를 맞은 후, 황개는 온몸에 피가 터지고 여러 번 혼절했다.

- senior officer 중신(重臣). ■ pardon 용서하다, 너그러이 봐주다.
- beat 때리다. ■ spare ~의 목숨을 살려주다.
- strokes 매, 곤장. ■ kneel－knelt－knelt 무릎을 꿇다.
- official 장교, 부관, 참모. ■ blow 구타, 매.
- bleed 피를 흘리다. ■ faint 기절하다, 혼절하다.
- many times 여러 번.

네놈이 아직도 감히 내게 불복하려 한다면, 나머지 50대도 치겠다.

모든 참모들이 다시 무릎을 꿇고 용서를 구했다.

눈물을 흘리며, 참모들은 황개를 부축하여 막사로 갔다.

왜 황장군을 돕지 않으셨습니까?

매질한 것은 단지 계략이었습니다. 주장군은 황개가 조조에게 거짓 항복하기를 원한 것이지요.

알겠 습니다.

주유 장군에게 제가 그의 계획을 간파하고 있음을 말하지 마십시오.

노숙이 제갈량을 보러 왔다.

그렇군요.

■ disobey 거역하다.　■ ask for 요구하다, 부탁하다.
■ clemency 자비, 관대함.　■ shed tears 눈물을 흘리다.
■ ruse 계략, 속임수(= trick).　■ surrender 항복(투항)하다.
■ scheme 계략, 계획.　■ see through one's scheme ~의 계략을 간파하다.

Why did you beat HwangGae?

Are the officers complaining?

Yes, many are.

What about JeGalRyang?

He also blamed you for being too harsh.

Ha! Ha! It was a ruse. I fooled him this time.

NoSuk marvelled at JeGalRyang's insight but didn't dare to say a word.

노숙은 제갈량의 통찰력에 경악했지만 아무 말도 하지 못했다.

■ HwangGae 황개(黃蓋) — 오(吳)나라의 수군(水軍) 대장으로 적벽대전이 있기 얼마전에 고육지계(苦肉之計)의 희생을 자청하여 조조를 속이고 큰 공을 세움.
■ beat 때리다.　■ officer 장교, 부관, 참모.
■ complain 불평하다.　■ blame A for B A 때문에 B를 비난하다.
■ harsh 가혹한, 무자비한.　■ ruse 책략, 계략(= trick).
■ fool 속이다.　■ marvel at ~에 놀라다, 경탄하다.　■ insight 통찰력.

HwangGae's good friend, GamTaek, came to see him. HwangGae told him the truth and asked him to deliver a letter of surrender to JoJo.

Since you've suffered so much for our Lord, how can I refuse?

GamTaek disguised himself as a fisherman and set off with the letter.

What are you here for?

I'm Staff Officer GamTaek of East Oh, here to see Prime Minister on something important.

■ GamTaek 감택 — 손권의 모사(謀士).　■ deliver 전달하다.
■ surrender 항복(투항)하다.　■ refuse 거절하다.
■ disguise oneself as ～ ～로 변장하다.　■ fisherman 어부, 낚시꾼.
■ set off = start.　■ staff officer 참모, 부관.
■ East Oh 동오(東吳).　■ Prime Minister 승상.

■ When the Prime Minister's troops were advancing to the south, I asked JuYu to surrender, but was beaten instead. I'll surrender to you with my troops… 승상의 군대가 남쪽으로 진격해오고 있을 때, 나는 주유에게 항복을 권유했으나, 도리어 매질만 당했소이다. 나의 부대를 이끌고 승상께 항복하고자 하나이다…(承相大軍南下 我權周瑜歸降 反遭毒打 願率部投順).

■ general 장수, 장군. ■ be beaten 두들겨맞다. ■ surrender ⓥ항복(투항)하다. ⓝ항복(투항).
■ be fooled 속다. ■ laugh at ~를 비웃다(= ridicule). ■ blind 눈이 먼. ■ plot 계략, 음모, 간계(奸計).

Which part of the letter is a trickery?

I know all about the art of war. You can't fool me.

If you're truly surrendering, why don't you set a day?

How can one set a date when doing something behind his master's back? You know the art of war, yet can't understand this!

I've offended you. Please forgive me.

JoJo held a banquet for GamTaek.

조조는 감택을 위해 주연을 베풀었다.

■ East Oh officials are on bad terms with one another. HwangGae was beaten and GamNyeong was
  humiliated. 동오(東吳)의 부장들이 서로 다투고 있습니다. 황개(黃盖)가 태형을 받았고 감녕(甘寧)이 모욕을 당했
  습니다(東吳內部不和 周瑜怒打黃盖 甘寧受辱… 蔡中, 蔡和). ■ official 장교, 부관.
■ ChaeHwa 채화(蔡和)-조조의 부장이었던 채모의 아우임.
■ ChaeJung 채중(蔡中)-조조의 부장이었던 채모의 아우임. ■ be on bad terms with ~와 사이가 나쁘다.
■ be humiliated 창피를 당하다. ■ find out 알아내다, 밝혀내다. ■ leak out 새다, 누설되다.
■ immediately 즉시, 당장(= at once). ■ get suspicious 의심하다.

■ 연환계 : 삼국지연의에는 두 가지의 연환계가 나온다. 하나는 왕윤이 초선을 이용하여 동탁과 여포를 이간시킨 것
  이고, 다른 하나는 적벽대전에서 사용된 방통의 계략으로, 조조의 배들을 모조리 쇠사슬로 묶게 하여 불로 태워버
  린 계략이다. 여기서의 연환계는 후자를 가리킨다.
■ BangTong 방통(龐統) - 양양(襄陽) 사람으로 유비의 모사(謀士)로서 별명은 봉추(鳳雛)임.
■ propose 제안하다.   ■ chain 쇠사슬로 매다(묶다).

BangTong Proposes Chaining the Ships
방통(龐統)의 연환계(連環計)

GamTaek went back to Gangdong, put on the official's attire and visited HwangGae.

If not for your clever tongue, I'd have suffered for nothing.

I'll find out what ChaeHwa and ChaeJung are doing.

Very good.

General Gam, your humiliation is unjustified.

GamNyeong smiled but didn't say anything.

Just then, ChaeHwa and ChaeJung walked in. GamTaek gave GamNyeong a meaningful glance.

공의 달변이 아니었다면, 부질없이 고생만 할 뻔했소.

난 채화와 채중이 지금 무엇을 하고 있는지 알아봐야겠소.

좋소이다.

감택은 강동으로 돌아와, 관복을 입은 후 황개를 찾아갔다.

감장군, 장군이 욕을 당한 것은 억울한 일이오.

감녕은 미소만 지을 뿐, 아무 말도 하지 않았다.

바로 그때, 채화와 채중이 걸어 들어왔다. 감택이 감녕에게 의미있는 눈짓을 보냈다.

■ General Gam, your humiliation is unjustified. : 감녕이 황개를 옹호하려다 주유에게 욕을 먹은 일을 가리킴. 물론 이것은 채화와 채중을 완전히 속이기 위해 일부러 하는 말로, 주유, 감녕, 감택은 모두 내막을 알고 있음.
■ put on = wear.　■ official's attire 관복.
■ If not for your clever tongue 공(公)의 뛰어난 말솜씨가 없었다면(= If it had not been for your clever tongue).　■ suffer for nothing 헛고생만 하다.　■ general 장군, 장수.　■ humiliation 굴욕, 창피.
■ be unjustifed 부당하게 당하다.　■ just then 바로 그때.　■ meaningful glance 의미있는 눈짓.

■ humiliate 창피를 주다. ■ cue 신호, 눈짓.
■ bang the table 탁자를 탕 하고 치다. ■ pretend ~인 척하다.
■ whisper 속삭이다. ■ defect 변절하다, 망명하다, 배반하다.
■ provoke 선동하다, 부채질하다, 자극시키다. ■ surrender 항복(투항)하다.

When JoJo received the report, he was still uncertain.

HwangGae and GamNyeong wanted to surrender but I'm not sure. Who'll go find out the truth?

I'll go to JuYu's camp to find out the truth.

Good.

JangGan crossed the river.

I'm Chief Commander JuYu's friend, here to see him.

Wait here.

■ uncertain 확신(자신)이 없는.
■ JangGan 장간(將幹) — 조조의 부장(副將)임. 자(字)는 자익(子翼)임.
■ Chief Commander 대도독(大都督) — 총사령관.

Good. Let's do it!

Sir, please go and stay at the Western Hills.

Soon after, NoSuk invited BangTong to JuYu's camp.

Take him to the Western Hills. We'll deal with him after defeating JoJo.

After BangTong had left, JuYu asked JangGan to come to his camp.

Oh! GongKeun, we meet again.

선생, 서산에 가셔서 머물러 주십시오.

그후 곧, 노숙이 방통을 주유의 진영으로 초대해 왔다.

좋소. 그럽시다!

방통이 떠난 후, 주유는 장간을 자신의 진중으로 오게 했다.

오! 공근(公瑾), 또 만나는구려.

놈을 서산으로 보내라. 조조를 처리한 후 놈을 처형하겠다.

■ Western Hills 서산(西山).　■ camp 진영.
■ GongKeun 공근(公瑾) - 오(吳)나라의 명장인 주유(周瑜)의 자(字)임.
■ deal with 처리하다, 처단하다.

The monastary in the Western Hills was desolate. JangGan felt lonely and uneasy.

At dusk, he took a walk outside the monastary.

Why is there someboy reading aloud?

He came to the foot of the hill where a man was reading SonJa's Art of War.

I'm BangTong, alias SaWon. Who're you?

May I ask your name?

JangGan knocked at the door

서산의 암자는 인적이 드문 곳이었다.
장간은 외로운 데다 마음도 편치 않았다.

해질 무렵,
장간은 암자 밖으로
산책을 나갔다.

누군가가
큰 소리로
책을 읽고
있다니 어쩐
일이지?

장간이 산기슭에
내려오자 한 사람이
손자병법을 읽고 있었다.

방통이라 하며,
자는 사원(土元)이
오, 공은 뉘시오?

존함이
어찌 되시
는지요?

장간이
문을 두드렸다.

- monastery 수도원.　■ Western Hills 서산(西山).
- desolate 황량한, 사람이 없는.　■ lonely 외로운, 고독한.
- at dusk 해질녘에.　■ take a walk 산보하다.
- aloud 큰 소리로.　■ the foot of the hill 산의 기슭.
- SonJa's Art of War 손자병법(孫子兵法).　■ alias 일명, 별명, 별칭.
- knock at the door 문을 노크하다.

그들은 서둘러 산을 내려와 배로 강을 건넜다.

■ be intolerant 용납치 못하는, 참지 못하는. ■ intelligent men 총명한 사람, 지성인.
■ be forced to do 어쩔수 없이 ~하다. ■ hermit 은둔자, 속세를 떠난 사람.
■ recommend 천거(추천)하다. ■ talented man 인재(人才).
■ Prime Minister 승상. ■ cross the river 강을 건너다.

■ greet 환영하다, 인사하다.
■ personally 몸소, 친히, 직접. ■ signal 신호를 보내다, 신호하다.
■ SonJa 손자(孫子)─중국의 전국시대 병법가 손무(孫武), 또는 손빈(孫殯)에 대한 경칭.
■ land Units 육군, 보병. ■ Your Excellency 승상, 각하.
■ military expertise 군사 기술, 용병술. ■ troops (pl) 부대, 군대.

■ naval camp 수군(水軍) 진영. ■ military strategist 군사 전략가.
■ Your days are numbered 네 목숨도 얼마 남지 않았다. ■ admire 감탄하다.
■ eloquence 능변, 달변. ■ physician 의사, 의원.
■ army 부대. ■ pretend ~인 척하다.
■ tipsy 거나하게 취한(= slightly drunk). ■ battle 전투, 전쟁.

■ fasten 묶다. ■ iron chain 쇠사슬.
■ steady 튼튼한. ■ storm 폭풍우.
■ superb 훌륭한, 뛰어난. ■ East Oh 동오(東吳).
■ immediately 즉시(= at once). ■ issue orders 명을 내리다.
■ begrudge 시기하다, 미워하다. ■ persuade 설득하다.
■ bid ~ goodbye ~에게 작별인사하다. ■ sail 배를 타다, 항해하다.

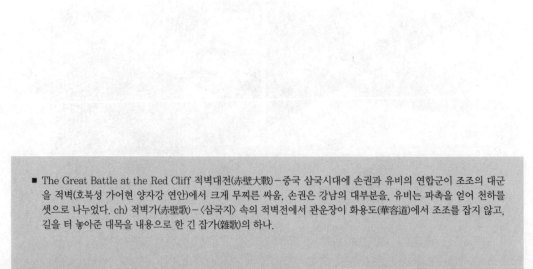

■ The Great Battle at the Red Cliff 적벽대전(赤壁大戰)−중국 삼국시대에 손권과 유비의 연합군이 조조의 대군을 적벽(호북성 가어현 양자강 연안)에서 크게 무찌른 싸움. 손권은 강남의 대부분을. 유비는 파촉을 얻어 천하를 셋으로 나누었다. ch) 적벽가(赤壁歌)−〈삼국지〉 속의 적벽전에서 관운장이 화용도(華容道)에서 조조를 잡지 않고, 길을 터 놓아준 대목을 내용으로 한 긴 잡가(雜歌)의 하나.

The Great Battle at the Red Cliff
적벽대전(赤壁大戰)

■ be fastened 매다, 묶다. ■ steady 견고한, 흔들리지 않는.
■ beware of ~ ~를 주의하다, 조심하다. ■ far-sighted 선견지명이 있는, 앞을 내다보는.
■ northerners 북방인들, 여기서는 위나라 사람들을 말함.
■ be used to ~ing ~에 익숙하다(= be accustomed to ~ing).

ChoChok and JangNam set off for the south bank to challenge JuYu. HanDang and JuTae met them in battle.

With one thrust, HanDang killed ChoChok.

초촉(焦觸)과 장남(張南)이 강남으로 출발하여 주유에게 도전하였다. 한당과 주태가 그들을 맞아 싸웠다.

■ enemy 적(敵). ■ MunBing 문빙(文聘) — 조조의 부장임.
■ escort 호위하다. ■ ChoChok 초촉(焦觸) — 과거 원소의 수하 장수였으며, 조조의 휘하로 들어옴.
■ JangNam 장남(張南) — 과거 원소의 수하 장수였으며, 조조의 휘하로 들어옴.
■ set off = start. ■ JuTae 주태(周泰) — 오(吳)나라의 용감무쌍한 대장.

Don't be boastful! I'm here to kill you.

JangNam appeared.

Stop shouting! I'll teach you a lesson.

JuTae arrived on his boat.

JuTae leapt onto JangNam's boat. With one blow of his sword, he killed JangNam.

The other boats of the JoJo army turned back. JuTae jumped back into his own boat.

Ha! Ha!

Charge! Kill them!

Aahh!

■ boastful 뽐내는, 자랑하는. ■ shout 외치다, 큰소리치다.
■ teach one a lesson 한수 가르쳐주다, 혼내주다. ■ lesson 교훈.
■ leap onto ~로 뛰어오르다. ■ with one blow of his sword 단칼에.
■ charge ⓝ공격. ⓥ공격하다.

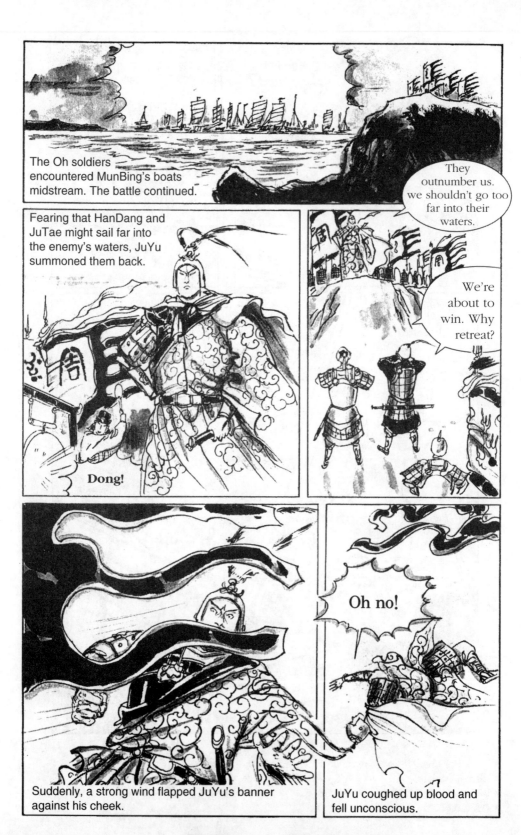

The Oh soldiers encountered MunBing's boats midstream. The battle continued.

They outnumber us. we shouldn't go too far into their waters.

Fearing that HanDang and JuTae might sail far into the enemy's waters, JuYu summoned them back.

Dong!

We're about to win. Why retreat?

Oh no!

Suddenly, a strong wind flapped JuYu's banner against his cheek.

JuYu coughed up blood and fell unconscious.

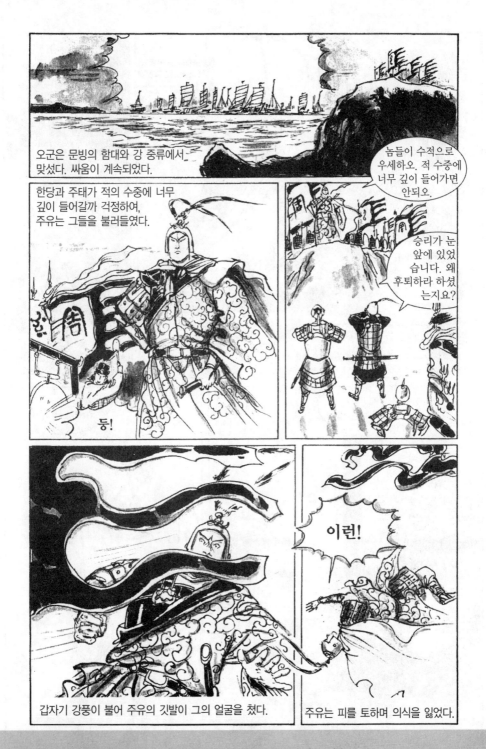

오군은 문빙의 함대와 강 중류에서 맞섰다. 싸움이 계속되었다.

한당과 주태가 적의 수중에 너무 깊이 들어갈까 걱정하여, 주유는 그들을 불러들였다.

놈들이 수적으로 우세하오. 적 수중에 너무 깊이 들어가면 안되오.

둥!

승리가 눈 앞에 있었습니다. 왜 후퇴하라 하셨는지요?

이런!

갑자기 강풍이 불어 주유의 깃발이 그의 얼굴을 쳤다.

주유는 피를 토하며 의식을 잃었다.

■ encounter 마주치다. ■ midstream 강(江)의 중간에서. ■ battle 전투, 싸움.
■ fear 두려워(무서워)하다. ■ sail 배를 타다, 항해하다. ■ enemy 적(敵).
■ summon 소환하다. ■ dong 둥 하고 울리는 소리. ■ outnumber 수적으로 우세하다.
■ be about to 막 ~하려고 하다 ■ retreat 후퇴(퇴각)하다.
■ suddenly = all at once = all of a sudden. ■ flap 휘날리다.
■ cheek 뺨. ■ cough up blood 피를 토하다. ■ fall unconscious 의식을 잃다.

It's not the right time for our commander to fall ill.

The military officials carried JuYu into the main camp.
Hastily they summoned a physician and sent a report to SonGwon.

I know how to cure him!

NoSuk was dejected so he went to see JeGalRyang.

Please come immediately.

이렇게 좋지 않은
시기에 대도독께서
쓰러지시다니.

부장들이 주유를 본진으로 옮겼다.
서둘러 의원을 불러왔고 손권에게 보고를 올렸다.

제가 주도독의 병을
고칠 수 있소이다!

노숙이 낙담하여 제갈량을 찾아갔다.

당장 가십시다.

■ foretell 내다보다, 예견하다. ■ fortune 운(運), 운명.
■ prescription 처방.
■ 처방전 원문(原文) : 慾破曹公(욕파조공), 必用火攻(필용화공), 萬事俱備(만사구비), 只久東風(지구동풍).
■ make use of 이용하다(= utilize). ■ defeat 물리치다, 격퇴시키다.
■ solve 풀다, 해결하다. ■ altar 제단.
■ Nambyeong Hills 남병산(南屛山). ■ borrow the southeast wind for ~에게 동남풍을 불게 하다.

The altar was named Altar of the Seven Stars. JuYu sent 120 troops to guard it.

I'll summon the wind. When the southeast wind starts to blow, attack.

Yes.

JeGalRyang put on a priestly gown and went up the altar barefoot, with his hair flowing.

JuYu and his military staff waited anxiously for the southeast wind for two days. JuYu became very impatient.

JeGalRyang must be fooling us. How can there be any southeast wind now?

그 제단은 칠성단(七星壇)이라 불렸다. 주유는 120명의 군사로 그곳을 경비하게 했다.

제가 바람을 일으키겠습니다. 남동풍이 불기 시작하면, 공격하십시오.

알겠습니다.

제갈량은 도의를 입고 머리를 풀어 헤친 채, 맨발로 제단에 올랐다.

주유와 부장들은 이틀 동안 초조하게 남동풍을 기다렸다. 주유는 안절부절 못했다.

제갈량이 우릴 속이고 있군. 어떻게 지금 남동풍을 일으킨단 말인가?

- altar 제단. ■ be named ~라 불리다. ■ the Seven Stars 칠성단(七星壇).
- troops (pl) 군대, 부대. ■ guard 지키다. ■ summon the wind 바람을 부르다.
- blow (바람이) 불다. ■ put on = wear. ■ priestly gown 도의(道衣).
- barefoot 맨발로. ■ military staff 무관(武官). ■ anxiously 걱정스럽게.
- impatient 초조한, 조급한, 안절부절 못하는. ■ fool 속이다(= deceive).

The southeast wind has started!

On the third day.

JeGalRyang is Supernatural. I must kill him.

JuYu sent JeongBong and SeoSeong to kill JeGalRyang.

He left on a little boat last night.

남동풍이 불기 시작했다!

셋째 날.

제갈량은 초인 이군. 반드시 그를 없애야겠다.

주유는 정봉(丁奉)과 서성(徐盛)을 보내 제갈량을 없애게 했다.

그는 지난밤 작은 배로 떠났습니다.

■ supernatural 신기의, 불가사의한.
■ JeongBong 정봉(丁奉)－오(吳)나라의 명장으로, 늙을 때까지 큰 공을 세움.
■ SeoSeong 서성(徐盛)－손권의 부장임. 위(魏)나라 조비(曹조)의 침략을 막음.

JeGalRyang and his man sped swiftly to estuary on their boat.

■ Master 선생, 대가.　■ commander 사령관, 도독(都督).
■ chase 추적(추격)하다.　■ not ~ any more 더 이상 ~않다.
■ guess 추측하다.　■ bow and arrow 활과 화살.
■ swiftly 빨리.　■ speed−sped−sped 속도를 빠르게 하다.

Take 3,000 men and lay an ambush at Ohlim.

Yes, sir.

Take 3,000 men and lay an ambush in the Gourd Valley. Once you see the smoke of JoJo's cooking fire, attack them.

Yes.

On his return to estuary, JeGalRyang immediately deployed his troops. First, he spoke to JaRyong (JoUn).

Then he instructed JangBi.

Sir, we're fighting a great battle. Why am I not involved?

GwanWoo(UnJang) was irritated.

JoJo is likely to take the road to Hwayong Pass. If you were to guard the place, I'm afraid you'd let him go because of your obligations to him.

JeGalRyang told MiChuk and the others to patrol the river and YuGi to station his troops at MuChang.

■ Ohlim 오림(烏林)—지명(地名)임.　■ lay an ambush at ～에게 매복시키다.　■ immediately 즉시(= at once).
■ deploy 배치하다, 주둔하다.　■ gourd 호리병 박.　■ the Gourd Valley 호로곡(葫盧谷)—지명(地名)임.
■ instruct 지시하다.　■ MiChuk 미축(糜竺)—유비의 아내 미부인의 오라비로서 미방의 형임.
■ patrol 순찰하다.　■ YuGi 유기(劉琦)—유표의 맏아들로 유비의 도움을 받음.　■ station 배치(주둔)하다.
■ Muchang 무창(武昌)—지명(地名)임.　■ be involved 관계(연루)되다.　■ irritated 화가 난, 안달하는.
■ the road to Hwayong 화용도(華容道).　■ pass 관문(關門), 통행(로).　■ obligation 의무, 책임.

■ pay back ～에 대하여 보답하다.　■ obligation 은혜, 감사, 의무.
■ what if～ ～한다면 어떻게 하겠소?　■ have it put in writing 군령장을 쓰다. cf) 군령장(軍令狀)－군법을 어
길시 군법대로 처벌을 받겠다는 다짐서.
■ Hwayong pass 화용(華容).　■ light a fire 불을 붙이다.
■ lure ～ out ～를 꾀어내다.　■ ruse 계략, 책략, 음모.

GwanWoo took 500 soldiers and left for Hwayong Pass.

Your calculations are unmatched!

I've studied the constellations. JoJo's not fated to die yet. We'll let UnJang do this good deed.

GwanWoo has a strong sense of honor. He may let JoJo go.

Let's go to Beongu to see how JuYu attacks the Red Cliff.

관우는 500의 군사를 이끌고 화용도로 떠났다.

군사의 계책은 가히 따를 자가 없군요.

제가 천문을 살펴보았습니다. 조조는 아직 죽을 운명이 아닙니다. 운장에게 선심을 베풀도록 하고자 합니다.

관우는 의리가 강한 사람이오. 아마 조조를 놓아줄 것이오.

번구(樊口)로 가서서 주유가 적벽을 어떻게 공격하나 지켜봅시다.

■ Hwayong Pass 화용도(華容道). ■ a sense of hono(u)r 의리, 신의.
■ calculation 계산, 예측. ■ unmatched 적수가 없는.
■ study the constellation 별자리를 읽다. ■ do good deed 선행을 베풀다, 좋은 일을 하다.
■ Beongu 번구(樊口)-지명(地名)임.
■ Red Cliff 적벽(赤壁)-중국 호북성 가어현 양자강 연안에 있는 지명(地名)임.

Meanwhile, JeongBong and SeoSeong returned to the camp and reported to JuYu.

한편, 정봉과 서성이
본진으로 돌아와 주유에게 보고했다.

■ meanwhile 한편(= meantime). ■ JeongBong 정봉(丁奉) – 오(吳)나라 손권의 명장임.
■ SeoSeong 서성(徐盛) – 오(吳)나라 손권의 명장임. ■ camp 진영.
■ decisive battle 결전(決戰). ■ cooperate 협력(협동)하다.

■ GamNyeong 감녕(甘寧) - 오(吳)나라 손권 명장임.
■ ChaeJung 채중(蔡中) - 채모의 아우로 조조의 부장이 되었고, 거짓으로 주유에게 항복해옴.
■ burn 불태우다. ■ supplies (pl) 보급품. ■ Ohlim 오림(烏林) - 지명(地名)임.
■ TaeSaJa 태사자(太史慈) - 오(吳)나라 손권의 명장임. ■ Hwangju 황주(黃州) - 지명(地名)임.
■ cut off 차단하다. ■ enemy 적(敵). ■ reinforcements 증원군.
■ YeoMong 여몽(呂蒙) - 오(吳)나라 손권의 명장임. ■ NeungTong 능통(凌統) - 오(吳)나라 손권의 명장임.
■ set ~ on fire ~에 불을 놓다.

JuYu also deployed his other troops. The generals set off with them.

Send a message to JoJo that the time to surrender is already set. The boats should leave at the third watch.

Yes, sir!

I'll come with a convoy of boats to surrender at the third watch. On my boats are green dragon flags.

After HwangGae has surrendered, it'll be JuYu's doomsday.

Ha! Ha!

HwangGae immediately sent a letter to JoJo.

주유는 다른 부대도 배치시켰다. 부장들은 군사를 이끌고 출격했다.

조조에게 밀서를 보내 항복할 시기가 이미 정해졌다고 전하시오. 배는 삼경에 떠나야 하오.

예.

삼경(三更)에 호위함을 몰고 투항하겠습니다. 호위함에는 청룡기를 꽂아 두겠습니다.

황개는 즉시 조조에게 서신을 보냈다.

황개가 항복하기만 하면 그날이 바로 주유의 제삿날이다.

하! 하!

■ deploy 배치하다. ■ troops (pl) 부대, 군대. ■ general 장수, 장군.
■ set off = start. ■ be set (날짜 등을) 결정하다. ■ at the third watch 3경(更)에. cf) watch (초경 · 이경 · 삼경 · 사경 등의) 야간의 한 구분. ■ surrender 항복(투항)하다. ■ green dragon flags 청룡기.
■ I'll come with a convoy of boats to surrender at the third watch. On my boats are green dragon flags(今夜三更我押糧船來降 船頭揷靑龍旗).
■ immediately 즉시(= at once). ■ doomsday 최후의 심판일, 운명의 날, 제삿날.

■ southeastern winds 동남풍(東南風). ■ blow (바람이) 불다. ■ winter solstice 동지(冬至).
■ approach 다가오다. ■ board a ship 배에 오르다. ■ meanwhile 한편. ■ execute 처형하다.
■ ChaeHwa 채화(蔡和)─채모의 아우로 조조의 부장이 되었고, 거짓으로 주유에게 항복해옴.
■ as ~로서. ■ sacrifice 제물, 희생양. ■ order 명령(지시)하다.
■ set off = start. ■ fleet 함대. ■ advance 진격하다.
■ grain supply 군량미. ■ vanguard 선봉대장, 전위대장. ■ green dragon flags 청룡기.

■ beware 조심(주의)하다. ■ trick 속임수, 계략, 계책.
■ grain 양곡. ■ be steady in the water 물에 잠겨 흔들리지 않다.
■ float 물에 뜨다. ■ MunBing 문빙(文聘)－조조의 부장임.
■ patrol boat 순찰함, 초계정. ■ intercept 가로막다, 차단하다.
■ anchor 정박시키다, 닻을 내리다. ■ midstream 강물의 한복판, 중류.

Twang!

HwangGae bent his bow and shot an arrow at MunBing.

Ah!

It's a feigned surrender!

Report to the Prime Minister quickly.

There was great confusion.

Charge! Set everything on fire.

Soon, 20 fiery boats dashed towards JoJo's naval camp, setting it on fire.

■ Twang 팅(활 쏘는 소리).　■ bend one's bow 활을 구부리다.
■ arrow 화살.　■ Prime Minister 승상.
■ feigned surrender 거짓 항복(투항).　■ confusion 혼란, 소동.
■ charge ⓝ공격. ⓥ공격하다.　■ set ~ on fire ~에 불을 지르다.
■ fiery boat 불이 붙은 배.　■ dash toward ~로 돌진하다.
■ naval camp 수군 진영.

■ What shall we do? 어찌하면 좋겠소?　■ run 달아나다.

Attack right now!

JuTae, HanDang, JangHeum and JinMu, each with 20 fiery boats charged towards JoJo's naval camp.

The naval camp became a sea of flames. Many of JoJo's troops were drowned, killed or burnt to death.

즉각 공격하라!

주태, 한당, 장흠(蔣欽), 그리고 진무(陳武)는 각각 20척의 화선(火船)을 이끌고 조조의 수군 진영을 공격했다.

수군 진영은 불바다가 되었다. 대부분의 조조 군사들은 빠져 죽거나, 사살되고 불타 죽었다.

- attack 공격하다. ■ right now 즉시(= immediately).
- JuTae 주태(周泰)—오(吳)나라 손권의 명장임. ■ HanDang 한당(韓當)—오(吳)나라 손권의 명장임.
- JangHeum 장흠(蔣欽)—오(吳)나라 손권의 명장임. ■ charge 공격(돌격)하다.
- JinMu 진무(陳武)—오(吳)나라 손권의 명장임. ■ naval camp 수군(水軍) 진영.
- a sea of flames 불바다. ■ be drowned 익사하다.
- be burnt to death 불타 죽다.

JoJo knew he'd been tricked but couldn't do anything.

Sir, get into this boat!

JangYo came to his rescue.

Stop, JoJo! You can't escape!

HwangGae arrived.

조조는 계략에 빠졌음을 깨달았지만 어쩔 수 없었다.

승상, 이 배로 오르십시오.

장요가 구하러 왔다.

멈춰라. 조조야! 도망칠 수 없다!

황개가 도착했다.

- be tricked 속다. ■ get into (배·차 등을) 타다.
- JangYo 장요(張遼)─처음 여포의 부하였다가 조조에게 투항한 장수로 관우와 친구임.
- rescue 구조, 구출.

JangYo fired an arrow at HwangGae.

Ah!

He fell into the sea.

JangYo helped JoJo ashore.

By now, GamNyeong had already killed ChaeJung. Together with BanJang and DongSeup, he set the whole camp ablaze.

JangYo found some 100 horsemen. Escorting JoJo, they galloped towards the north.

틱!

장요가 황개에게 활을 쏘았다.

아악!

황개가 바다로 떨어졌다.

장요가 조조를 강변으로 부축했다.

이때 감녕은 이미 채중을 죽인 후였다.
그는 반장, 동습과 함께 전 진영을 불살랐다.

장요는 흩어졌던 100여 명의 기병을 찾아 모았다. 조조를 호위하며, 북쪽으로 질주했다.

■ fire an arrow at ~에게 화살을 쏘다. ■ fall into the sea 바다에 빠지다(떨어지다).
■ ashore 해안으로, 강변으로. ■ BanJang 반장(潘璋) – 오(吳)나라 손권의 명장임.
■ set a whole camp ablaze 전 진영을 불태우다. ■ horseman 기병(騎兵), 기수.
■ escort 호위하다. ■ gallop (말이) 질주하다.

MoGae and MunBing joined them with a few dozen more horsemen.

JoJo, where are you going?

I'll hold him for a while, leave quickly!

YeoMong arrived with his troops.

JangYo turned around and engaged YeoMong in battle.

JoJo, escorted by MoGae and MunBing, pushed on to the north.

■ MoGae 모개(毛价)—조조의 부장임.   ■ MunBing 문빙(文聘)—조조의 부장임.
■ a few dozen more horsemen 수십명의 기마병.   ■ troops (pl) 부대, 군대.
■ hold 잡아두다.   ■ for a while 잠시(동안).
■ engage ~ in battle ~와 싸우다.
■ YeoMong 여몽(呂蒙)—오(吳)나라 손권의 명장으로 관우를 사로잡아 죽임.
■ push on to the north 북쪽을 향해 계속 나아가다.

■ NeungTong 능통(凌統) – 오(吳)나라 손권의 명장.　■ I'm done for 난 이제 끝장이군.
■ SeoHwang 서황(徐況) – 조조의 명장으로 맹달을 치다가 그의 화살에 맞아 전사함.
■ defeat 격퇴시키다, 물리치다.　■ escort 호위하다.
■ continue northward 계속 북진하다.　■ MaYeon 마연(馬延) – 조조의 부하 장수임.
■ JangYi 장의(장두) – 조조의 부하 장수임.
■ feel at ease 안도(안심)하다. cf) at ease = comfortable.

JoJo ordered MaYeon and JangYi to clear the road ahead.

GamNyeong intercepted them and killed both.

Your Excellency, I'm here.

JangHap appeared wih his troops.

JangHap and SeoHwang defeated GamNyeong.

The blaze subsided and JoJo finally escaped from the Oh forces.

- order 명령(지시)하다.　■ clear the road ahead 앞길을 뚫다.
- intercept 가로막다.　■ Your Excellency 승상, 각하.
- JangHap 장합－원소의 부하였다가 조조에게 투항한 장수임.　■ blaze 불길, 화재.
- subside 가라앉다, 잠잠해지다.　■ forces (pl) 군대.
- the Oh forces 오(吳)나라 군대, 오군(吳軍).

■ release 풀어주다, 놓아주다.

GwanWoo in his Kindness Releases JoJo
조조(曹操)를 놓아준 의리의 관우(關羽)

Around the fifth watch, JoJo reached the west of Ohlim and north of Yido

Ha! Ha!

Why are you laughing, sir?

I'm laughing at JuYu and JeGalRyang. If they were good military strategists, they should've laid an ambush here.

JangHap and SeoHwang, fight him!

Yes, sir.

Suddenly, war drums were heard and a blaze soared up to the sky.

The two generals intercepted JoUn while JoJo made off hastily.

At dawn there was a sudden downpour which drenched the soldiers.

Soon, LeeJeon and HeoJeo escorting JoJo's advisers joined him.

Rest awhile, prepare meals and let the horses graze.

They continued their flight to the north. By the time they came to the Gourd Valley, many men and horses had died of fatigue.

두 장수가 조운을 막는 동안 조조는 서둘러 피했다.

새벽녘에 갑자기 폭우가 쏟아져 군사들이 흠뻑 젖었다.

곧, 이전과 허저가 조조의 모사들을 보호하며 오다 조조와 만났다.

잠시 쉬며, 식사 준비를 하고 말들이 풀을 뜯게 하라.

그들은 북쪽으로 계속 도망쳤다. 호로곡(葫蘆谷)에 이르렀을 때 피로로 많은 병사와 말들이 죽어 갔다.

■ general 장수, 장군. ■ intercept 가로막다. ■ JoUn 조운(趙雲)－조자룡의 이름으로, 자(字)는 자룡이다.
■ make off hastily 서둘러 떠나다. ■ at dawn 동틀 무렵, 새벽녘에. ■ sudden downpour 갑작스런 폭우.
■ drench 흠뻑 적시다. ■ LeeJeon 이전(李典)－조조 직속의 명장임.
■ HeoJeo 허저(許楮)－조조의 호위 대장으로 힘이 세고 용맹스러움. ■ rest a while 잠시 휴식하다.
■ adviser 고문, 모사(謀士). ■ meal 식사. ■ graze 풀을 뜯다. ■ the Ground Valley 호로곡(葫蘆谷).
■ fatigue 피로, 피곤.

■ suffer a big loss 큰 손실을 입다.　■ lack of foresight 선견지명(통찰력)의 결여.
■ set an ambush 매복시키다.　■ dong (북이나 종 등이) 뎅 하고 울리는 소리.

HeoJeo, intercept him.

Yes, sir

JangYo and SeoHwang also galloped up to help fight JangBi.

JoJo galloped away amid the confusion.

허저,
저놈을 막아라.

예.

장요와 서황도 질주하여 장비와 싸우는 것을 도왔다.

조조는 이 혼란을
틈타 멀리 질주해
도망갔다.

■ intercept 가로막나, 차단하나.　■ gallop (말이) 전속력으로 달리다, 질주하다.
■ amid the confusion 혼란 속에서, 혼란한 와중에.

Kill them!

HeoJeo, JangYo and the others didn't dare to fight for too long and fled.

JoJo finally broke away from JangBi.

Smoke is rising from the Hwayong Trail but the main road is quiet.

Let's reconnoiter it from a hill.

Two routes lead to Namgun. The main road is fifty li longer than the Hwayong Trail.

JoJo and his defeated men came to a cross-roads.

저들을 쳐라!

허저, 장요
그리고 그밖의 장수들은 더
이상 싸우지 못하고 달아났다.

조조는 마침내 장비로부터 벗어났다.

화용도
에서는 연기가 오르고
있으나 큰 길은
조용합니다.

두 길은
남군(南郡)으로
이어집니다. 큰
길이 화용도보다
50리나
더 멉니다.

산에
올라가
동정을
살펴봐라.

조조와 그의 패잔병들은
갈림길에 이르렀다.

■ dare to 감히 ~하다. ■ flee-fled-fled 달아나다, 도망치다.
■ break away from ~로부터 벗어나다. ■ Hwayong Trail 화용도(華容道)-지명(地名)임 cf) trail 오솔길.
■ reconnoiter 정찰(조사)하다.
■ Two routes lead to 두 길이 ~에 이른다. ■ fifty li 50리(里).
■ defeated men 패잔병들. ■ cross-roads 갈림길, 교차로.

■ The art of war 병법(兵法).
■ The truth may be false, the false may be true 실즉허지(實則虛之), 허즉실지(虛則實之) : 사실같이 보이지만 거짓이요, 거짓 같아 보이지만 사실이란 말.
■ fool 속이다 . ■ be tricked 속다.
■ head for ～로 향하다. ■ Hwayong Trail 화용도(華容道) - 지명(地名)임.
■ order 명령(지시)하다. ■ those who slackened 뒤처지는 병사들, 굼뜬 병사들.

■ flat terrain 평탄한 지형(지대).   ■ ambush 매복 기습하다.
■ be captured 사로잡히다.   ■ signal 신호.
■ suddenly = all at once = all of a sudden.   ■ block one's way ~의 길을 막다.
■ We're doomed 끝장이구나(= We're done for). cf) be doomed ~할 운명에 처하다.

No, we can't. We're exhausted.

There's no way but to fight to the death.

He's a man of honor. You've treated him well. If you make an appeal, he mignt let us go.

I've been waiting for you.

How are you, General?

JoJo rode forward and saluted GwanWoo.

I'm defeated and my situation is desperate. Please remember our old friendship and let me go.

I was indebted to you but I've already repaid you by killing AnRyang and MunChu. I've also helped you out at White Horse Slope.

- be exhausted 지치다, 기신맥진하다. ■ fight to the death 죽을 때까지 싸우다.
- a man of hono(u)r 신의가 있는 사람. ■ treat 대하다, 처우하다. ■ make an appeal 호소하다, 애원하다.
- general 장수, 장군. ■ ride forward 말을 타고 앞으로 나아가다. ■ salute 인사(경례)하다.
- be defeated 패하다. ■ desperate 절망적인. ■ be indebted to ~에 빚을 지다, 신세를 지다.
- AnRyang 안량(顔良)―원소의 명장으로 관우의 손에 죽음. ■ MunChu 문추(文醜)―원소의 명장으로
  관우의 손에 죽음. ■ White Horse Slope 백마벌판.

그러나 공이 아무말 없이 떠나며 6명의 장수를 죽였소. 그때 내가 공을 어떻게 대했소?

관우는 침묵을 지켰다.

공은 대의에 밝은 분이오. 내가 다른 사람의 손에 죽는다면, 후회하게 될 것이오. 내가 공의 손에 죽으리라곤 생각도 못했소!

조조가 지난날의 호의를 상기시키자, 관우는 마음이 동요되어 말머리를 돌렸다.

길을 열어줘라!

팔을 한 번 휘둘러, 조조는 서둘러 군대를 출발시켰다.

멈춰라! 어딜 가려는 게요?

관우는 문득 군령장을 떠올렸다.

- officer 장교, 부관. ■ a man of great hono(u)r 신의가 두터운 사람.
- regret 후회, 유감. ■ retell 다시 말하다.
- be moved 감동 받다, 마음이 움직이다.
- rein in his horse 말고삐를 당겨 말을 세우다, 말을 억제하다. ■ spread out 퍼지다, 해산하다.
- with one swing of his arm 손을 한번 휘둘러서. ■ bid−bade−bidden 명령(지시)하다, 말하다.
- hurry on 급히 가다, 허둥대다. ■ written statement 군령장(軍令狀).

JoJo and his men dismounted and knelt before GwanWoo, pleading for mercy.

While he was hesitating, JangYo arrived. On seeing him, GwanWoo again thought of their old friendship and let them pass.

When JoJo reached Namgun and joined JoIn, he had only 27 men left.

After the great battle, a banquet was held as a celebration.

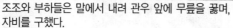
조조와 부하들은 말에서 내려 관우 앞에 무릎을 꿇며, 자비를 구했다.

관우가 망설이는 동안, 장요가 도착했다. 장요를 보자, 관우는 다시 그와의 옛 우정을 생각하여 그들을 보내 주었다.

조조가 남군(南郡)에 도착하여 조인과 합세했을 때, 남은 군사는 단지 27명이었다.

대전이 끝난 후, 축하연이 베풀어졌다.

■ dismount 말에서 내리다.　■ kneel−knelt−knelt 무릎을 꿇다.
■ plead for mercy 자비를 구하다.　■ hesitate 망설이다, 주저하다.
■ on ～ing = as soon as ～.　■ Namgun 남군(南郡)－지명(地名)임.
■ a banquet was held 연회(주연)가 열렸다.　■ celebration 축전, 경축, 축하.

Sir, I've released JoJo. Please punish me according to martial law.

Guards, drag him out and execute him!

GwanWoo, JangBi and I have pledged to die together. Please forgive him and let him atone for his mistake by future merit.

The great battle at the Red Cliff laid the foundation for the tripartite balance of forces. From then on, the struggle between the three powers became even more spectacular.

JeGalRyang could do nothing but release GwanWoo.

군사(軍師), 내가 조조를 놓아주었습니다. 군법에 따라 나를 처벌해 주십시오.

경비병, 관우를 끌고나가 처형하라!

관우, 장비와 난 함께 죽기로 맹세했소. 제발 그를 용서하시고, 앞으로 공을 세워 실수를 보상하도록 해 주십시오.

제갈량은 관우를 풀어줄 수밖에 없었다.

적벽대전으로 삼국정립의 기초가 놓이게 되었다. 그때부터 삼국 간의 다툼은 더 한층 이채를 띠게 되었다.

■ release 풀어주다, 놓아주다. ■ punish 고통(형벌)을 주다. ■ martial law 군법(軍法). ■ execute 처형하다.
■ pledge to die together 한날 한시에 죽기로 맹세하다(도원결의를 말함). ■ forgive 용서하다.
■ atone for 벌충(보충)하다, 보상하다(= compensate for, make up for). ■ future merit 앞으로의 공적.
■ cannot do nothing but + ⓥ ~할 수밖에 없다(= can't help ~ing). ■ The great battle at the Red Cliff
적벽대전(赤壁大戰). ■ lay the foundation for ~을 위한 기초(기반)를 다지다. ■ tripartite balance of
forces 삼국의 힘의 균형. ■ from then on 그때부터 계속. ■ spectacular 장대한, 극적인.